Dépôt légal : janvier 2016. Édition 01. Achevé d'imprimer en janvier 2016 par Canale en Roumanie.
Traduction : Aurélie Desfour. Maquette : Ivana Vukojicic
Loi n° 49-956 du 16 juillet 1949 sur les publications destinées à la jeunesse.

hachette s'engage pour l'environnement en réduisant l'empreinte carbone de ses livres. Celle de cet exemplaire est de :
400 g éq. CO2
Rendez-vous sur
www.hachette-durable.fr

Peppa va chez le dentiste

Tous les matins, Peppa et
George se brossent les dents.
Froutch ! Froutch ! Froutch !

Froutch !
Froutch !
Froutch !

Peppa montre son sourire éclatant à son petit frère et lui demande :

– George, tes dents sont-elles aussi propres que les miennes ?

– Vous avez tous les deux de belles dents blanches, intervient Papa Pig. Je suis sûr que le dentiste sera très content !

Un peu plus tard, Peppa et s[illegible]tit frère patientent dans la salle d'[illegible] du dentiste. C'est la première visite [illegible]eorge.

– Peppa, George, le d[illegible]ste va vous recevoir, dit Mademoiselle Rabbit[illegible]sistante dentaire.

– Youpi ! s'exclament-ils en[illegible]ur.

Voici Docteur Éléphant, le dentiste.
– Qui commence ? demande-t-il.

– C'est moi ! répond Peppa. Je suis une grande fille. Regarde-moi bien, George !

– Ouvre grand la bouche, s'il te plaît !
demande Docteur Éléphant.

Peppa ouvre la bouche autant que possible.

– Aaaah !

– Voyons voir..., chuchote le dentiste
en regardant les dents de Peppa avec un miroir.

– Et voilà ! Quelles jolies dents blanches tu as ! la complimente Docteur Éléphant. Maintenant, tu peux te rincer la bouche avec la boisson spéciale !

Graaaa ! Plouf ! Peppa recrache le liquide rose dans l'évier.

C'est au tour de George !

George a un peu peur... Heureusement, Docteur Éléphant l'autorise à s'asseoir sur le siège avec Monsieur Dinosaure.

– J'ai observé toutes tes dents ! Elles sont très belles et bien blanches, George !

– Mais, attendez ! Qu'est-ce que c'est que ça ? s'écrie Docteur Éléphant. Les dents de George sont blanches mais celles de ce jeune dinosaure sont très sales !

– Jet d'eau, s'il vous plaît, Mademoiselle Rabbit ! ordonne le dentiste.

Avec l'eau, Docteur Éléphant lave les dents de Monsieur Dinosaure.

George attrape un verre du liquide spécial et s'impatiente :

– Rose !

– Tu as raison, George ! dit le dentiste. Monsieur Dinosaure a besoin du liquide rose spécial !

Glou ! Glou !

– Oh ! Quelles dents brillantes vous avez là, Monsieur Dinosaure, s'exclame Mademoiselle Rabbit.

– Grrr ! Dinosaure ! grogne George.

George adore Monsieur Dinosaure… et encore plus maintenant qu'il a de belles dents toutes propres !

Retrouve vite les autres histoires de Peppa et George !
Grouin !
Peppa Pig
Peppa fait du ski
hachette JEUNESSE
Peppa Pig
Peppa va à la piscine
hachette JEUNESSE
Peppa Pig
Peppa part en vacances
hachette JEUNESSE
Peppa Pig
Peppa se déguise
hachette JEUNESSE